모경

母經

문학들

말씀을 엮으며

어머니는 세상에서 가장 구체적인 존재이셨다. 얼굴, 자태, 옷매무새, 걸음걸이, 머릿결, 미소, 눈물, 음성, 주름살, 한숨, 해소기침, 바른 자세 그리고 엄정, 겸손, 근면, 인내, 자애, 지혜, 정결, 정직, 과묵, 검소, 결기, 성실, 어느 하나 가릴 것 없이 돌아가신 후에도 여전히 눈에 선하기만 하다. 그중에서도 어머니의 품은 언제나 따뜻하고 아늑하며 평화로운 요람이었다. 그 천연의 요새에 들면 어떤 자유보다도 무한한 충만이 주어졌다. 어느 신이 그런 은총을 대신해 줄 수 있을까. 어머니는 신보다 항상 먼저 곁에 계셨고, 자신보다도 나를 더 아끼신 유일한 분이셨다. 그리고 추상적인 신에 비해 늘 한결같은 현실 자체이셨다. 어머니의 소망은 내가 잘 되고 잘 살기를 바라는 소박하면서도 간절한 일념뿐이셨다. 비록 몸은 가셨지만 어머니는 그 간곡한 말씀으로 내 속에 살아 계신다. 이제 내 품에 그 말씀을 온전히 품을 차례다. 늦게나마 그분의 말씀과 그분에 관한 기억을 모아 한 권의 경을 엮는다.

2021년 여름

김규성

차례

모경母經
01~90 • 09

01

어머니는 나를 보실 때마다 세상에서 제일 어여쁜 꽃이라고 하셨다. 어머니가 계시기에 나는 나이 들어서도 한 송이 꽃일 수가 있었다. 그러나 나는 어머니한테만 그토록 삼삼히 눈에 밟히는 꽃이었다. 그러기에 내가 꽃이기 위해서는 어머니가 한사코 오래오래 사셔야만 했다. 그 천하의 유일한 꽃 감정사가 살아 계실 때 더 어여쁜 꽃을 피우지 못한 죄가 새록새록 아프다.

02

가난한 집의 고아로 자란 어머니는 학교에 가지 못하셨다. 그렇다고 따로 글을 배우신 적이라곤 없으셨다. 그런데도 어머니는 한글과 숫자는 스스럼없이 익히고 계셨다. 까다로운 일상 외래어도 적재적소에서 정확하게 발음하셨다. 형과 나는 학교 가기 전에 웬만한 책은 술술 읽을 수 있었다. 물론 어머니가 스승이셨다. 어머니가 어떻게 혼자서 글을 깨치셨는지는 엊그제 떠나신 저승길의 행방처럼 아직도 묘연한 수수께끼다. 어머니는 못 배운 것에 대해 단 한 번도 불평이나 하소연을 하지 않으셨다. 살아가는 데 별 불편이 없으신 것에 대해 감사하실 따름이었다.

03

세끼 밥도 어려운 판에 감히 군것질이라고는 기웃거릴 수 없는 시절이었다. 이따금 산골의 정적을 깨우는 가위 소리 앞세우고 엿목판 낑낑대며 찾아오는 엿장수는 이동 구멍가게이자 산타클로스였다. 부랴부랴 아이들은 꿰매다 지친 고무신짝이나 밑 빠진 양은 솥, 대장간에서도 재생할 수 없이 닳아빠진 낫과 괭이를 엿으로 바꿔서 먹었다. 나는 눈 질끈 감고 엿 대신 성냥, 고무줄, 옷핀, 바늘, 비누 등을 챙겨 어머니에게 달려갔다. 그러면 어머니는 "오매 내 새끼가 살림꾼이 다 됐네."하시며 꼭 끌어안고는 등을 어루만지시거나 볼기짝을 부드럽게 두들겨 주시곤 했다. 나는 그렇게 간식 대신 어머니의 칭찬을 먹고 자랐다. 그 후 간식처럼 굳이 필요치 않는 것들은 멀리하게 되었다. 아직도 등짝이나 엉덩이에 아련히 고인 어머니의 따뜻한 손길이 나보다도 가족, 나아가 세상에 필요한 것들을 먼저 찾게 이끈다.

04

아홉 살이 되자 어머니는 나를 개울의 깊은 곳으로 데려가셨다. "이제부터 너도 물고기처럼 물과 친해지는 법을 배워야 한단다."고 하신 다음 나를 냉큼 물속으로 밀어뜨리셨다. 그동안 겨우 무릎을 적실 정도의 옅은 물에서만 놀던 나에게는 청천벽력이었다. 억지 물을 먹고 겨우 빠져 나오면 다시 빠뜨리시는 실경이가 한참 동안 반복되었다. 다음 날도 그 다음 날도 그랬다. 그런 날 밤이면 어머니는 한결 따뜻하게 내 마음을 어루만져 재워 주셨다. 자다 깨 보면 어머니는 내 얼굴을 지그시 지켜보며 이마를 쓰다듬어 주고 계셨다. 그 후 나는 교과서적 영법(泳法)은 아닐지라도 제법 동네 헤엄은 자랑할 수 있게 되었다. 수영은 강과 바닷가에 살려면 누구나 갖춰야 할 필수요건이었다.

05

어머니는 자리에 앉을 때는 함부로 앉지 말라고 이르셨다. 앉아도 될 곳인가, 누군가 무심코 뱉어 놓은 가래침은 없는가, 의자는 단단한가, 사방은 잘 보이는가, 바람은 어디서 불어오는가, 소나기가 오면 피할 곳은 가까이 있는가, 지금 꼭 거기 앉아야 할 때인가 등, 앉을 자리를 잘 살펴보고 골라서 앉되, 떠날 때를 잘 가려서 흔적을 남기지 말고 서슴없이 일어서라고도 하셨다. 단 하루도 반듯이 앉아서는 견딜 수 없는 인간에게 결코 평생 앉을 자리는 허락되지 않는 만큼, 누구고 잠시 머무르다 갈 뿐인 자리는 세상 공동의 공간임을 잊지 말라는 뜻이셨다. 이승 역시 한 시적으로 빌렸을 뿐 무수한 후손들의 자리라는 말씀도 덧붙이셨다.

06

어머니는 언제나 말수는 적되 표현은 명확하고 구체적이기를 바라셨다. 아울러 목표가 명확하고 구체적이어야 그만큼 앞길이 두렷하고 탄탄하게 열린다고 하셨다. 목표가 없는 삶은 그만큼 남 핑계를 하게 되어 있다는 말씀도 덧붙이셨다.

07

아버지가 돌아가시자, 평생 아버지의 술과 가난 탓으로 오목가슴에 헤아릴 수 없는 멍이 든 어머니는 여행하기를 좋아하셨다. 나는 여행에서 돌아오신 어머니의 웃음이 세상에서 제일 좋았다. 차츰 어머니의 국내 여행이 시들해지자, 사글세 살면서도 틈만 나면 외국 여행을 보내드렸다. 물론 어려운 형편을 눈치 못 채시게 위장하고 장모님도 동반해서였다. 어머니는 다녀오신 후면 며칠 동안이나, "좋더라, 참 좋더라!"를 연발하셨다. 그러면서도 "아무리 그랜드캐니언이 좋다 해도 너희 형제가 어깨를 나란히 하고 걷는 모습처럼 아름다운 경치에는 비기지 못한다."는 후렴을 꼭 덧붙이셨다. 그때마다, 형과 먹을 것을 가지고 다툴 때 유난히 아픈 매를 드시던 기억이 새로웠다. 그래선지 나는 핏덩어리 채로 맡겨진 조카들을 키우면서도 한 번도 형을 원

망하지 않았다. 엊그제 조카 손을 잡고 예식장을 들어서면서도 다만 형이 그 고운 딸을 보지 못하는 점만 아쉬워하며 속으로 울먹였다.

08

아버지가 주정에 지쳐 겨우 잠자리에 드실 때는 이슥한 한밤이었다. 그때부터 어머니는 한참을 행여 들킬 새라 숨죽여 흐느껴 우셨다. 형과 나는 울컥 어머니가 집을 나가실까 불안에 떨며 밤새 어머니 곁에 누워 교대로 불침번을 섰다. 다음 날, 새벽같이 밭에 나가 김을 매고 오신 어머니는 평소에는 말씀이 없으면서도 자부랑자부랑 밤이 이슥토록 옛날이야기를 들려주셨다. 아버지의 폭력에 겹겹이 곤한 상처로 쌓여 갈 정서 불안을 이내 풀어 주려는 배려이셨다. 어머니를 닮아 형은 이야기를 맛깔스럽게도 잘했다. 이야기에 소질이 없는 나는 짧은 시를 즐기는 시인이 되었다.

09

어머니는 누이 상견례 자리에서 “자식을 잘 가르치지 못해 송구스럽습니다.”라고 누이의 시어머니가 되실 분에게 고개를 숙이셨다. 그러나 어머니는 누이가 어려서부터 틈만 나면 요리, 바느질, 말투, 가계부 정리, 어른 모시기, 동기간의 화목 등을 엄하고도 꼼꼼히 가르쳐 오신 터였다. 다분히 겸손에서 우러난 표현이었지만 한편으로는 시집의 가풍에 익숙지 못한 딸의 새로운 적응을 염려하신 배려이셨다.

10

무심코 전기장판 스위치를 발로 끄다가 어머니에게 들켰다. 어머니는 나이 든 아들의 기분이 상하지 않을 어조로 나무라셨다. 아무리 생명이 없는 사물이라고 할지라도 우리 몸을 따뜻이 해 준 은혜를 잊고 함부로 다루어서는 안 된다는 지적이셨다. 나는 문을 열고 닫을 때, 진공청소기 코드를 꽂고 뺄 때, 수도꼭지를 틀고 잠글 때, 사소한 연장 하나를 다룰 때도 소중한 만큼 공손히 대하는 버릇을 되새기곤 한다. 하물며 이웃을 대할 때는 어쩌겠는가. 생각할수록 더불어 존재한다는 사실만으로 고마워서 마음속 깊이 감사의 마음을 아로새기지 않을 도리가 없다.

11

어머니는 "그릇은 필요한 만큼만 적당히 담을 수 있는 것을 고르되 항상 채워 두라."고 이르셨다. 너무 큰 것을 고르게 되면 그것을 채우기 위해 무리하여 괜히 필요 없는 낭비를 부추기게 되고, 또 그것을 비워 두게 되면 사용하지 않는 공백만큼 세상에 손해라는 깊은 뜻이 숨어 있었다. 아무리 하찮은 물건 하나도 내 것 네 것을 다투기 이전에 곧 이웃과 함께 사용해야 할 세상 공통의 소유임을 깨우쳐 주시려는 속다짐이셨다.

12

어머니는 “비록 걸레일지라도 쓰고 나면 항상 깨끗이 빨고 꼭 짜서 단정히 놓아두라.”고 이르셨다. 그리고 걸레가 제자리에 보기 좋게 놓인 것을 보시면 흐뭇해 하셨다. 하찮은 걸레라도 소중히 다루는 정갈하고 섬세한 손길이 사람의 됨됨이를 평가하는 나름의 기준이신 것 같았다.

13

술 때문에 가정불화가 잦은 친구에게 당장 달려가 술을 끊으라고 닦달하려고 하자, 어머니는 비록 약주나 다름없는 두어 잔의 주량이라도 나부터 끊고 나서 친구에게 금주를 권해 보라고 이르셨다. 아무리 친한 사이라도 제 기분만 앞세운 충고니 조언보다는 함께 걱정한다는 표현을 하는 것이 내 마음가짐도 겸허하게 다질 겸 상대에 대한 배려가 아니겠는가 하는 말씀도 곁들이셨다.

14

설익은 호박을 덜컥 땄다가 어머니한테 혼이 났다. 내 딴에는 다른 일 접어 두고 어머니의 바쁜 일손을 거든다는 터였다. 그러나 그것은 결코 농부의 할 바가 아니었다. 어머니는 "설사 지나가던 도둑이 대신 서리해 갈망정 곡식은 스스로 마다할 만큼 무르익었을 때 조심조심 거두는 것이 씨 뿌린 자의 의무이자 예의"라고 이르셨다.

15

매사 군더더기가 없고 깔끔하신 어머니는 때와 장소에 걸맞게 꼭 필요한 말씀 외에는 말수가 적으셨다. 그러나 어머니는 넉넉할수록 좋은 인심은 이웃과 정을 나눌 때 뿐 아니라 대화할 때도 필요하다고 하셨다. 대화란 말을 하는 게 아니라 나누는 것인 만큼 상대에게 되도록 말을 많이 양보하라는 말씀이셨다. 그리고 상대가 말할 때는 기침소리, 숨소리, 동작 하나하나, 사이사이의 침묵까지도 경청하라고 하셨다. 나에 관해서는 상대가 스스로 헤아릴 수 있도록 언급을 되도록 삼가라고도 하셨다. 이 말씀은 어느새 내 시론(詩論)의 핵심이 되었다.

16

온 가족에게 다 물어봐도 하나같이 어머니한테서 욕설을 들어본 기억이 없다고 입을 모은다. 어머니는 늘 좋은 말도 다 못하면서 굳이 남 듣기 흉하고 자신의 품위를 떨어뜨리는 말을 골라서 할 필요가 있느냐며 말에게도 예의를 차려야 한다고 하셨다. 말을 아끼고 갈고 닦아서 사랑해야 행동도 거기 따른다는 속내이셨다. 말도 행동의 하나이고 행동도 말의 하나라는 언행합일의 정신은 어머니 일상생활의 근간이셨다. 그러기에 우리 형제가 아무리 사소할지라도 거짓말을 하거나 말과 다른 행동을 할 때는 그냥 지나치는 법이 없으셨다. 어머니는 비록 몰락한 가문의 고아로 자라 가난한 집안의 맏며느리로 시집오셨지만 본디 가문의 전통만은 준엄한 내재율을 이루고 있었고 행여 그 오랜 내규에 누를 끼칠 새라 일거일동마다 범할 수 없는 위의와 범절을 올곧게 지키셨다.

17

산중으로 이사 온 후, 멋모르고 개들에게 천국을 선물하겠다고 목줄도 안 매고 아예 풀어서 키웠다. 그러자 개들의 행동반경은 천 평도 넘는 울안을 넘어 겁 없이 확대되어 갔다. 차츰 이웃 전답을 들쑤셔 놓는달지, 이웃 다른 개집을 무단 침입한달지 말썽을 부리기 시작했다. 그도 그렇지만 치명적인 농약을 살포한 논둑을 뒤지고 다니거나, 도로를 무단 배회하여 차들이 급정거를 하게 하는 등 돌이킬 수 없는 함정이 사방에 널려 있어 도무지 마음을 놓을 수 없었다. 급기야는 농작물에 피해를 주는 산짐승을 방어하기 위해 도처에 쳐 놓은 올무에 걸리고 말았다. 그것도 거푸 두 마리가 그랬다. 그렇게 위험천만한 사경을 헤매다 겨우 살아난 개들이 또 바깥으로 나돌자, 할 수 없이 눈 질끈 감고 묶어두기로 했다. 그래도 마음이 편치 못해 짬짬이 운동도 시킬 겸 똥오줌도 누라고 풀어 주면 개들은 교묘하게 감시망을 피해 부리나케 개구멍으로 안전지대를 넘는 것이었다. 나는 화가 나서 이제는 죽든지 살든지 모른다고 내쏘았다. 그때였다. 어머니는 "개들의 수준이 그런 것 아니냐. 개들이 할 수 있을 만큼만 기대해야지. 귀찮더라도 잘 키우겠다고 들여놓은 이상 개들의 생리에 맞추어 최선을 다하라." 고 타이르셨다.

18

한때 무등산에서 '할머니 타잔'이 나타났다고 수군거리던 적이 있었다. 어떤 할머니가 바람처럼 빠른 속도로 산을 타는 솜씨에 놀란 입소문이었다. 일흔 줄에 이르신 어머니가 그 주인공이셨다. 그러나 나는 그 소문이 썩 내키지 않았다. 안타깝고 송구스럽기만 했다. 첩첩산중에서 점심도 거른 채 무거운 나뭇단을 포개 이고 십여 리 산비탈을 타시던 솜씨인 것을 잘 알기 때문이었다. 그것은 어쩌든지 새끼들 배는 골리지 말아야 한다는 눈물겨운 집념의 소산이었다. 그런 억척이, 나와 아홉 살 터울인 막내 누이의 초등학교 운동회 날 달리기 시합에서 딸 또래의 학부모들을 거의 반 바퀴나 물리치고 맨 먼저 들어오시게 했다. 어머니는 손자의 운동회 때도 그렇게 펄펄 나셨다. 딸과 손자가 기뻐할 상품(노트와 연필) 생각이 무조건 앞만 보고 달리게 한 것이었다. 한국전쟁 때, 태어난 지 미처 두 달도 채 못 되는 나를 업고 열 살 난 누나와 네 살짜리 형을 양 옆구리에 낀 채로, 가파른 고개를 넘고 허벅지까지 빠지는 갯벌 속을 200여 미터나 내달리시던 초인적인 힘의 부활이셨다. 그렇게 다져진 어머니의 등산 신화는 무등산 몇 배나 험준한 인고의 결산이셨다.

19

어머니는 늘 아이들 용돈은 제때에 주어야 한다고 말씀하셨다. 행여 아이들이 다른 곳으로 눈을 돌리지 않을까 하는 염려이셨다. 성장과정의 아이들에게 모범과 도둑의 차이는 아주 작은 부주의나 결핍에서 비롯된다는 지론이셨다.

20

내 시에서 많이 쓰이는 단어는 단연 오목가슴이다. 어머니는 아버지와 다투시거나, 식량이 바닥 쳤을 때, 울컥 죽은 누나가 찾아들 때면 늘 젖가슴 아래 움푹한 부위를 주먹으로 치며 차디찬 자리끼를 아버지의 술처럼 벌컥벌컥 들이켜셨다. 그때면 나도 덩달아 속이 바싹바싹 탔다. 나는 어렴풋이 거기가 은밀한 마음의 둥지인 줄 짐작만 해 왔지 정확한 위치를 모른다. 다만 약방이 없는 마을에서 머리가 아프면 이마에, 배가 아프면 배꼽에, 뽀드락지가 나면 그 환부에 침을 바르며 살았듯이 언제부턴가 가슴이 갑갑하고 쥐어짜거나 틀어 오를 적엔 부랴부랴 배 속에 찬물을 한 모금 적셔 주는 버릇이 있다. 그것이 내 비방이다. 냉수 먹고 어서 속 차리라는. 그러면 진짜 통증이 가신다. 보이지 않는 불덩어리가 내 오목가슴을 한바탕 거짓말같이 휘돌아 가는 것이다. 그때마다 어느새 어머니는 모자(母子)의 공동 영지(領地), 내 오목가슴 깊숙이 앉아 계시는 것이었다.

21

막내 고모는 누나 또래였다. 그래도 어머니는 시누이를 깍듯이 대하셨다. 시집살이깨나 시키던 할머니가 돌아가시고 어느덧 막내 고모도 회갑을 넘기게 되자, 작은어머니는 시누이에게 허물없이 말을 놓기 시작했다. 그러나 어머니는 끝내 양존하셨다. 다만 예전에 비해 한결 편하게 대하시기는 하셨다. 그 편안함 속에는 오랜 세월에서 우러난 포근한 애정이 녹아 있었다.

22

어머니는 바늘에 실은 꼭 꿰어서 보관하라고 말씀하셨다. 바늘만 홀로 굴러다니면 위험하고, 또 급할 때 실을 꿰느라고 들이는 시간을 아껴야 한다는 배려이셨다.

23

어머니는 누워 계셨다. 막 잠에서 깬 아이처럼 누워서 나를 바라보셨다. 특별히 아프지도 않으면서 내가 바짝 다가가도 일어나지 않으셨다. 형 떠난 이후로 급격히 기력이 쇠진하여 일어나지 못하시는 것이었다. 그 몸으로 수평선처럼 누워서 아직 중천에 떠 있는 해 덩어리를 지긋이 올려다보시는 참이었다. 한꺼번에 다 볼 것처럼, 내일은 못 보기라도 하실 것처럼. 일찍이 저토록 오래 뚫어져라 나를 바라본 여자는 없었다. 나는 조금 쑥스러웠지만 한 번도 깜박이지 않고 아픈 눈을 맞추었다. 그러고 보니 주무실 때 말고는 아직까지 내 앞에서 누워 계시는 어머니를 본 적이 별로 없다. 밖으로 나와서야 와락 눈물의 물꼬가 터졌다. 몇 번이고 술병을 만지작거리다가 못 볼 것이라도 본 양 외면하고 말았다. 내일 또, 흐린 어머니 눈길에 태양보다도 더 환한 아들로 태어나기 위하여.

24

어머니가 손수 끓여 주신 망둥어국을 먹었다. 평소 간간하던 간이 영 싱거웠다. 짠 것은 내 혈압에 해롭다는 지나친 염려 탓이셨다. 그런데 아무래도 통 몸통이 보이지 않았다. 설마 살점은 손자들 다 주고, 엊그제 큰아들 떠나 하나뿐인 아들에게 뼈다귀만 일부러 골라 먹이실 턱은 없는데, 가뜩이나 어두운 눈에 전기를 아끼느라고 컴컴한 부엌에서 급히 큰놈을 고르다 보니 애먼 대가리만 흐린 눈에 밟히신 것이었다. 기막힌 어두일미(魚頭一味)! 골라 낸 것들을 다시 천천히 발라먹었다. 눈물이 한 방울 뚝 떨어져 마침 간을 맞춰 주었다.

25

가족 간의 끈끈한 연대는 섣부른 죽음을 예방하는 효과적 장치다. 부모가 자식들을 두고 못 죽듯이 자식도 차마 늙은 부모 앞에 갈 수 없어서 모질게 뽑아 들었던 허리끈을 슬쩍 놓는다. 예기치 못한 반칙이었던 누나의 죽음은 우리 가족 모두에게 상처요 고문이었다. 그 후 우리에게 생존은 절체절명의 불문율이었다. 어머니는 그 선봉이셨다. 누나, 아버지, 형에 이어 그 어머니까지 돌아가시자 나는 남은 가족들을 위해서라도 한층 세심히 건강을 챙긴다. 어머니가 물려주신 지고의 유산이다.

26

별로 두려운 것이 없을 때, 실은 두려움에 대해 잘 모를 때, 어머니는 자중자애하라고 하셨다. 모쪼록 자신을 함부로 하지 말고 아끼라는 그 말씀이 나에게는 거칠고 부푼 모험심을 잠재우고 좀스럽고 시시콜콜한 소심을 부추기는 잔소리로만 들렸다. 그리하여 내 딴에는 내키는 대로 몸을, 명을, 복을 함부로 했다. 세상에도 조국에도 사회에도 함부로 했다. 그러나 정작 거기 몸담고 살며 분노하고 절망할수록 내 오물에 내가 역겨워하듯 가당치 않은 자가당착이었다. 비겁하기 이를 데 없는 책임전가였다. 절이 싫은 중이 부처를 깔고 앉아서도 젯밥에 얽매여 산중을 벗어나지 못하는 이율배반이었다. 결국 스스로의 가치를 좀먹고 깎아내리는 자승자박이었다. 그랬다 이승을 살 때는 모름지기 이승을 최고로 예쁘게 생각하는 것, 자신을 포함하여 자기가 처한 크고 작은 세계를 첫사랑 하듯 품에 안는 것이 자중자애였다. 스스로를 보배로 갈고 다듬는 자중자애만이 감히 우주라는 보석상을 경영할 수 있는 허가증이었다. 어머니의 간곡한 당부는 자기 하나 제대로 사랑하지 못하며 어찌 감히 사회며 조국이며 저 광활한 우주를 사랑하겠느냐는 최상의 방법론적 원론이셨다.

27

어머니는 틈만 나면 산에 가는 내 뒷전에 대고 "풀 한 포기, 나무 한 그루, 결코 쉬운 것이 없으니 행여 함부로 대하지 마라."고 당부하셨다. 볼수록 그랬다. 아스팔트 도로변 철벽을 뚫고 나오는 민들레처럼, 깊은 산 고목에서 나는 상황버섯, 밟힐수록 꼿꼿이 일어서는 질경이, 가시로 무장한 꾸지뽕과 찔레와 가시오가피 그리고 두릅, 독으로 무장한 옻나무, 낡은 기와나 높고 험한 암벽에서 나는 와송, 한겨울을 푸르고 고고하게 수놓는 겨우살이 등, 훌륭한 약초는 그만큼 남다른 조건과 강인한 생명력을 지니고 있었다.

28

열은 산 내리막길에 웃통을 벗듯 죽음에 대해 홀가분하게 생각해 보는 것도 괜찮겠거니, 세상은 살 만한 것이라고 아등바등 부추기지 않기로 했다. 그러나 그런 사치는 산등성이 한 그루 떡갈나무 휘어진 가지 끝에서 속절없이 무너졌다. 봄물 흥건히 오른 새 이파리 곁에 보푸라기처럼 매달려 있는 흐린 갈색 화석의 눈물겨운 충정. 새로운 주자(走者)를 기어코 뚜렷이 확인하고 나서야 비로소 선 채로 눈을 감는, 그 완벽을 복무한 퇴역은 마침내 의무의 상한선 그리고 소유의 하한선을 벗어낸 존재의 극치였다. 내 어디에 저처럼 혼신을 다한 고갈의 물증이 도사리고 있을까. 손에 닿자마자 마치 기다렸다는 듯, 다 나은 상처인 듯 바스러지는 마침표는 옷 갈아입듯 심호흡을 하듯 남은 시간을 몸도 맘도 아주 다 하라는 귀띔이었다. 오월 햇살이 무덤 속보다

묘지의 잔디 위에 더 소복 쌓이는 망월동에서도 그랬지만 나의 눅눅한 감상은 늘 부끄럽고 성급한 것이었다. 그러니 누군가 나를 저 한 잎 고엽으로 거둘 때까지는 불면을 불침번 삼아서라도 한살 신명나게 불타야 하는 것이었다. 어머니는 내가 푸른 잎을 지나 단단한 상수리로 무르익을 때까지 애타게 지켜보며 혼신을 다하여 마지막 한 방울의 땀방울과 눈물조차 죄 쏟고 가신 떡갈나무 고엽이셨다.

29

어머니는 “매듭은 단단하게 그러면서도 나중에 누구라도 풀기 쉽게 훔쳐 두라.”고 말씀하셨다.

30

어머니는 함부로 곁을 주지 말라고 하셨다. 곁을 주려면 줄 만한 이한테 제대로 주라는 뜻이셨다. 한 번 허락한 곁은 돌이키지 말라는 당부이시기도 했다.

31

어머니는 별로 말씀이 없으셨다. 남의 흉을 보는 경우도, 남에게 자랑이나 하소연을 하는 경우도 없으셨다. 쉽사리 사람을 사귀지는 못했지만 그래도 가시는 데마다 친구는 많았다. 누구에게나 한결같은 신뢰감을 심어 주는 언행이 그 비결이었지만 남에게 하나 받으면 반드시 둘 갚으시고야 마는 결벽 또한 한몫했다. 한 번 사귄 친구는 결코 물리는 법이 없으셨다. 혹 친구가 오해나, 실수로 사이가 벌어지면 그 오해가 풀리거나 자기 잘못을 뉘우치고 돌아올 때까지 묵묵히 기다리셨다.

32

아흔에도 어디 하나 흐트러진 데 없이 꼿꼿하신 어머니는 가끔 내 팔자걸음을 지적하시곤 했다. 나이 들면서 풀어지기 쉬운 몸가짐을 잘하라는 채근이셨다. 바른 걸음은 발보다 정면을 보고 반듯이 걷는 습관에서 비롯된다는 말씀이셨다. 내가 바른걸음을 걸을 때면 "내 아들은 걷는 걸음걸이도 참 멋있다."고 흐뭇해 하셨다.

33

어머니는 “양치질을 할 때는 칫솔이 쉬 망가지거나 닳지 않도록 부드럽게 하라.”고 하셨다. 농부가 농기구를 잘 관리하듯 칫솔을 아껴 사용함으로써 실은 이와 잇몸을 잘 보호하라는 당부이셨다.

34

어머니는 누이가 시집이나 남편에 대해 불평을 늘어놓을 때면 “그 집안에서 발붙이고 살려거든 행여 남 앞에서 시댁이나 남편 흉을 보지 마라.”고 이르셨다. 견디다 못해 누이가 남편과 갈라서고 돌아와 하소연을 하자 어머니는 “이왕 나온 마당에 그 집 흉볼 일이 또 있겠느냐.”고 아예 입을 막으셨다.

35

오랜만의 고향 나들이에서 돌아오는 길. 어머니는 내가 보기엔 아직 멀쩡한 분을 두고 아무래도 사흘 못 넘길 것만 같다고 혼잣말을 하셨다. 억척 값하느라 욕심은 많아도 그만큼 또 속정이 깊어 어머니와 아옹다옹 이웃하시던 인연, 안타깝게도 이틀 후 새벽같이 부음을 들어야 했다. 온 삭신이 관측기구이신 일기예보처럼 어머니는 30여 년이나 떨어져 지냈는데도 단박에 묵은 인연들의 운명을 섬뜩하니 점치시는 것이었다. 백 리 밖에서도 그 날수 엉숭팡숭 부대끼듯 챙기며 호흡을 맞추던 고향 안통의 이상한 낌새를 꼭 집어내시는 것이었다.

36

어머니는 내가 열여섯이 되자 시렁 위에 얹어 둔 회초리를 꺾으셨다. 매보다도 말을 더 아프게 여기기 시작했으니 굳이 매가 소용없다는 믿음에서 내린 결단이셨다. 스무 살에 이르자 나를 대하시는 말투가 확연히 달라지셨다. 어미부터 자식 대접을 해 주어야 남들도 그럴 게 아니냐는 속내이셨다.

37

어머니는 일곱 손자들을 당신 손으로 거의 키우셨다. 그 손자들의 정서 속에는 어머니의 언어가 심연에 깔려 있을 것이다. 어느 날 아침. 어머니께서 큰손자에게 자장가처럼 이르시는 말씀을 엿들었다. 닭 울음소리를 두고 "목청이 우렁차지? 저것은 닭이 노래하는 소리란다."라고 하시는 것이었다. 어머니는 손자에게 하루의 문을 노래로 열어 주고 계셨다. 한편 어머니는 이순이 넘은 아들이 핀 목련을 보며 화들짝 신나게 웃는다고 했을 때는 "찬찬히 보렴, 울고 있지 않니?"라고 하셨다. 며칠 후, 추하게 길바닥에 널브러져 있는 꽃잎을 보고서야 말귀가 확 트이는 것이었다.

38

어머니는 가족 중 누군가 공직에 있을 때는 가족 전체가 자기 일 이상으로 조심해야 한다고 이르셨다. 출세와는 거리가 먼 가족사를 깨고 어쩌다 사촌 동생이 공무원 시험에 합격하자 어머니는 전화번호 수첩에서 그 이름을 지우셨다. 우리도 따라서 할 수밖에 없었다. 혹시 피치 못할 청첩장이라도 보내려면 그의 형제에게만 보내고 그에게는 알리지 말라고 신신당부하셨다. 누구에게도 그 이름을 들먹이지 말라는 어머니의 엄명은 우리 모두의 불문율이었다.

39

어머니는 다리미질을 할 때면 아버지 옷은 마지막에 꼭 한 번 더 어루만지듯이 손질을 하셨다. 평소 땀이 배인 등 허리 부분이었다. 그리고 맨 처음에 다려서 한쪽에 잘 두었다가 장롱 속에 차곡차곡 쌓아 둘 땐 반드시 맨 위에 얹으셨다.

40

어머니는 우김질은 하지 말라고 하셨다. 자칫 사소한 우김질이 상대와 의를 상하게 할 수도 있고, 자신을 경박하게 보일 수도 있다는 염려이셨다. 굳이 상대가 우기면 조용히 자기 말이 입증이 될 때까지 기다리라고 하셨다. 자신의 주장이 옳은 게 증명이 돼도 상대에게 드러내놓고 떠들지는 말라는 말씀도 덧붙이셨다. 오해의 경우도 마찬가지였다. 미처 정리되지 못한 감정에 상대의 귀가 닫혀 있을 경우에 자꾸 말로만 오해를 풀려 들면 오히려 더 꼬이게 되기 쉽다고 하셨다. 비록 당장은 억울해도 언젠가 시간이 대신 풀어주는 게 더 효과적이라고 하셨다. 오해에 대처하는 방법은 상대에 대한 성실은 물론이려니와 시간과 진실이 최선이라는 말씀이셨다.

41

나를 한여름 농번기 통에 낳으신 어머니는 생일 때면 꼭 모시 잠옷을 사 주셨다. 그런데 한 번은 두꺼운 내복을 선물하시는 것이었다. 나이 들어 산골로 이사하는 아들이 벌써부터 마음에 걸리시는 속내이셨다. 어머니는 그해 겨울 돌아가셨다. 그해 겨울은 유난히도 추웠다. 이듬해 겨울엔 또 몇십 년 만의 혹한이 왔다.

42

수해로 흉년이 든 해였다. 시오 리 학교 길을 달려오니 밥이 없었다. 우리 형제가 먹을 밥을 이웃집 아이가 훔쳐 먹은 것이었다. 어머니는 한사코 우리 입단속을 이르시고는 다음 날에도 고봉밥을 눈에 잘 띄는 부뚜막에 정성스레 놓아두셨다.

43

어머니는 한꺼번에 두세 가지 일을 할 때가 많으셨다. 예를 들면 바느질을 하며 약을 달이시는 경우이셨다. 거기에다 한참 말썽을 부리는 손자들까지 돌보시는 데도 전혀 실수가 없으셨다.

44

해마다 정초가 되면 마을에서는 당산제를 지냈다. 마을에서 고르고 고른 제관을 골라 풍성하게 장만하여서는 고갯마루에 있는 당산할머니 사당으로 보냈다. 지난 한 해 동안 일체 궂은 데라고는 가지 않은 소위 청신남들이었다. 그리고 마을에서는 제를 올리고 종일 경건한 마음으로 지냈다. 나이가 들면서 나는 그것이 미신이라고 못마땅해했다. 어머니는 "왜 그렇게만 보니? 마을 사람들이 모처럼 오롯이 마음을 한 데 모아 성심껏 기원하는 그 지극한 정신은 보지 않는 것이냐."고 조용히 이르셨다. 경건한 의식을 통해 마을의 단합을 이루는 그 마음을 깊이 헤아리신 터였다. 어머니는 백 호가 다 되는 마을 사람들이 정신의 혼연일체를 이루는 그 위대한 힘을 믿고 계셨다. 우연의 장난인지는 몰라도, 훗날 당산제를 지내던 산 고개를 뚫고 찻길을 내자

마을에서는 새파랗게 젊은이들이 다투어 죽어 가는 기현상
이 빚어졌다.

45

산중생활이 한참 고단할 때였다. 만나는 사람들마다 말랐다고 야단이었다. 아예 못 알아보는 이도 있었다. 그것이 영 서운했다. 그때 어머니는 "못 알아보는 사람 잘못이 아니다. 네 모습이 몰라보게 변한 탓이다. 그 탓을 왜 남에게 돌리느냐."고 하셨다.

46

산중의 단풍이 눈부시게 아름다웠다. 층층시하의 폭포로 변한 계곡은 혼자 보기 아까웠다. 못내 아쉬움을 토하자 어머니는 아름다움을 마음속 깊이 담았다가 그 마음을 사람들에게 나눠 주라고 하셨다. 대자연 속에서 생의 태반을 보내신 어머니는 원초적 시인이셨다.

47

미신과는 친하지 못한데도 부적이 하나 있다. 어머니가 적십자사에서 자원 봉사한 답례품으로 받아 오신 손목시계. 어느새 적십자 마크가 어머니 잔손금처럼 닳아 내 눈에도 잘 띄지 않는다. 갈아 끼운 줄이 시계 값을 추월한 지는 옛날이다. 내 유일한 몸치레이자 필수 소지품. 자수성가한 처지에 기꺼이 불로소득한 재산이다. 그러나 아직도 증여세 한 푼 내지 않은 뻔뻔스런 행운이 내 산그늘 소소한 생의 오후를 끌고 간다. 가죽 줄에 고인 땀 냄새 아련한 젖 향기 같은, 이승의 계량기인가 하면 저승의 계측기 같은, 낡을수록 새삼 성스러운 주술이다.

48

채 예순도 안 된 형이 세상을 등지고 말았을 때 어머니는 여든여섯이셨다. 나는 형 장례를 마친 뒤 어머니를 붙들고 "어머니 울지 마세요. 어머니가 잘못되신다면 이제 제가 죽어요."라고 울부짖었다. 어머니는 "알았다."고 딱 한 마디만 하셨다. 그 후 행여 눈물조차 보이지 않으셨다. 형 말이라고는 한 번도 입에 올리지 않으셨다. 그리고 몇 해 뒤에 형 곁으로 조용히 가셨다.

49

어머니는 딸들이 합세하여 며느리 말을 할 때는 크게 나무라셨다. 정 하고 싶은 말이 있으면 일대 일로 하라고 하셨다. 둘이서 함께 한 마디씩 하면 두 마디가 되는데 며느리는 혼자이니 불공평하다는 취지이셨다. 다시 말해 같은 말을 동시에 두 사람에게서 들으면 새겨들을 말조차도 역효과가 난다는 염려이셨다. 하고 싶은 말 열 마디보다도, 따뜻하게 어루만져 주는 손길 한 번이 열백 번이나 낫다는 말씀도 덧붙이셨다.

50

초등학교 다니는 조카가 맘에 드는 시계를 선물로 받았다. 제법 비싼 것이었다. 불량배 형들에게 붙들릴 찰나였다. 조카는 얼른 시계를 벗어 풀숲에 감춰 놓았다가 다음 날 한참을 뒤져 찾아왔다. 어머니는 자장면을 시켜 주시고는 가만히 등을 두드리며 말씀하셨다. "잘했어. 그 상황에서도 그런 침착한 꾀가 나오다니 내 손자 대견하구나. 다음에는 사람도 시계처럼 그렇게 소중히 보호하렴."

51

어머니는 말을 꾸미는 것을 싫어하셨다. 어머니 말씀 중에는 형용사나 부사가 별로 없으셨다. 주어와 목적어는 가급적 술어 가까이 두셨다. 가끔 내가 "무엇 무엇을 위해 어쩌고저쩌고"하는 따위의 표현을 쓸 때는 곤혹스러워하셨다. 실천보다 말이 앞서는 것과, 자칫 작은 적선으로 오만해지기 쉬운 마음을 경계하는 눈치이셨다.

52

대부분 시골에서 지내는 터이지만 1주일에 하루쯤은 도시 집에서 묵는다. 어머니가 돌아가신 후부터의 일이다. 재작년에는 도시에서 시골로 한 시간 남짓의 시간과 함께 출퇴근을 했다. 언젠가부터 시골을 싫어하시는 어머니가 도시 집에 계시기 때문이었다. 어머니가 가신 지도 일 년이 넘었다. 그러나 나는 도시를 떠나지 않고 있다. 어머니 제사도 도시 집에서 지낸다. 어머니가 찾아오시기 편하실 것 같아서다. 방문을 들어서면 어머니가 계신다. 평소보다 화사한 옷을 입고 한결 밝게 웃고 계신다. 거실 벽 중앙에 걸린 사진 속의 어머니시다. 나는 집을 들고 날 때마다 무언의 인사를 드린다. 최소한 3년은 그렇게 할 작정이다. 시묘살이를 도시 집에서 하는 셈이다. 마음 같아서는 산소 곁에 작은 오두막이나 마련해 놓고 살고 싶지만 쉽지 않아서다.

53

티브이에서 맹인 가수 이용복이 자기는 목욕탕에 가지 않는다며, 다른 이들은 자기 것을 다 보는데 자기는 그들 것을 볼 수 없으니 억울해서 그렇다고 능청을 떨고 있었다. 내가 덩달아 웃자 어머니는, "하느님은 위에서 훤히 다 지켜보고 계시는데 너는 통 그분을 볼 수 없으니 억울하지 않느냐."고 정색을 하셨다.

54

아버지 제삿날이라 오랜만에 가족들이 모였다. 밀린 일이 있어서 좀 늦게 들어가니 어머니는 오랜만에 본다며 몹시 반가워하셨다. "어머니 좀 전에도 보셨잖아요?"하고 의아해 하니, 어머니는 찔끔 놀라며 이내 모른 척하셨다. "어머니, 점심 때 국밥도 같이 드셨잖아요?"하고 따지듯 재차 물었다. 그제야 어머니는 내 조바심을 읽고는 "아니, 네가 집에 좀 늦게 왔다고…." 마치 대여섯 살 아이가 부자연스럽게 시치미를 떼듯 얼버무리셨다. 평생 거짓말을 못 하시고, 자식들에게도 거짓을 가장 무섭게 나무라시던 어머니가 다 늙어서 그 기록을 스스로 깨시는 순간이었다. 자꾸만 "나는 멀쩡하다. 잠시 다른 생각을 하고 있었을 뿐이란다. 너무 예민하게 신경 쓰지 마라."고 속으로 달래시는 것이었다. 아흔 줄에 접어든 어머니는 혹시 치매라도 걸리면

자식들에게 못 할 일이라고 혼자서 그렇게 치열한 전쟁을
치르고 계셨다.

55

어렸을 때, 신발 뒤꿈치를 구부려 신다가 어머니한테 혼쭐이 났다. 신발의 수명이 짧아질 뿐 아니라 신발 모양새도 그만큼 볼품이 없어진다는 지적이셨다. 그보다도 비록 말 못 하는 것일망정 그 은혜를 아로새길 줄 안다면 도저히 그럴 수 없다는 꾸지람이셨다. 그러고 보니 어머니는 "세상에 함부로 대할 것이라고는 아무것도 없다."는 말씀을 가장 많이 하셨다. 생명을 지니지 못한 것부터 소중하게 대하는 훈련이 되어야 생명 있는 것들을 더욱 존귀하게 대할 수 있다는 깊은 뜻이셨다. 바른 마음의 기본인 바른 몸가짐은 사물에 대한 존중을 일상의 습관으로 하는 것에서 비롯되는 것이었다.

56

굽이굽이 산모롱이를 지나다 보면 고갯마루쯤 성황당이 쉼터처럼 기다리고 있었다. 사람들은 그 앞에서 잠시 걸음을 멈추고 탑을 쌓듯 돌멩이를 하나씩 얹어 놓고 고개 숙여 두 손을 모았다. 어머니는 산신에게 기도를 드리는 것이라고 일러 주셨지만 왠지 으스스하고 궁금증은 더해만 갔다. 그 두려움과 신비는 초등학교 들어가면서 싱겁게 깨졌다. 나는 그것은 어리석은 미신에 지나지 않는다고 어머니를 가르치려 들었다. 그러자 어머니는 평소와는 전혀 다른 어투로 다음과 같이 말씀하시는 것이었다. "눈에 보이지 않는 신에게 빈다고 하여 미신이라고 한다면 하느님이나 부처님께 비는 것도 마찬가지이겠구나. 하느님이나 부처님처럼 산신도 신이시지. 모두 이름만 달리 부를 뿐 다 한 분이시란다. 그리고 신은 어디에나 함께하신단다. 그러니까 성황당마다 신이 계시는 것이지. 성당이나 암자처럼 저 신이 계시는 고갯마루도 재숫재라고 한단다. 신에게 재수를 빈다고 해서, 거기에 정성껏 빌면 재수를 준다고 해서 붙여진 이름이지. 성당이나 암자도 사람 손으로 만들었지? 보이지 않는 신에게 행복을 비는 것은 여느 교회나 절과 다를 바 없단다. 더욱이 여러 사람의 정성과 소원을 모아 하나의 탑을 이루고 신을 모시는 것은 소중한 풍습이며 아름다운 풍경이지. 하느님이나 부처님만 신이고 산신은 신이 아니라는 것은 철수나 영희만 사람이고 너는 사람 이름이 아니라는 것과 뭐가 다르겠니? 십자가나 불상 앞에서 드리는 기도와, 저처럼 손수 신을 어루만지듯 드리는 기도가 차이가 있다면 오히려 그것이 미신이겠지. 기도의 가치는 얼마나 깨끗한 마음으로 간절하게 비느냐에 달렸지 어디에서 누구에게 비느냐가 중요한 게 아니란다.” 종교와는 거리가 먼 것만 같던 어머니는 나름대로 신앙의 본질을 꿰뚫고 계셨다.

57

어머니는 "길을 갈 때는 혼자 가는 것보다 갓난아이를 업고라도 둘이 가는 게 낫다."고 하셨다.

58

물건을 나를 때, 예전의 지게질이나 농사일, 공사판 일을 해 본 세대들이 그런 경험이 없는 세대들보다 훨씬 편하고 안전하고 빠르게 나른다. 유목시대는 짐을 챙기고 나르는 시대다. 그 시대적 특성만 깨치면 구세대들이 유목의 현장에 오히려 효과적이고 신속하게 적응할 수 있을지도 모른다. 어머니는 늘 그 고유의 강점을 강조하셨다.

59

어머니가 장에 가시면 긴긴 하루 어머니를 기다리며 보냈다. 장에서 돌아오신 어머니는 맨발로 달려간 나를 와락 안아 주셨다. 그러나 나는 실은 장 보따리 속이 더 궁금했었다. 어느덧 내가 어머니 또래 어른이 되어, 즐겨 드시는 박하사탕과 홍시를 사다 드리면 어머니는 그것들은 저만큼 밀쳐 두고 내 얼굴만 그윽이 지켜보셨다. 귀 바짝 대고 내 말만 잡수셨다. 내가 눈에 띄지 않으면 그때서야 내 생각을 하시며 맛있게 드셨다.

60

어머니는 잡초는 일반 작물과 구분만 되면 한사코 어렸을 때 뽑아 버려야 한다고 이르셨다. 그리고 상추가 촘촘하다 싶으면 아무리 싱싱한 것이라도 가차 없이 솎아 내셨다. 자유롭게 그 행동반경을 넓혀 충분한 영양을 취할 수 있도록 해 주려는 배려이셨다. 상추밭을 감옥으로 만드느냐 놀이터로 만드느냐는 가꾸는 이들의 손에 달려 있다는 실천적 증명이셨다.

61

어머니는 인사를 나눌 때 고개만 까딱하거나 턱을 빳빳이 쳐드는 사람을 조심하라고 하셨다. 한편 지나치게 고개를 숙여 조아리는 사람은 더욱 경계하라고 덧붙이셨다.

62

어머니는 "자기 관리에 있어서 최악의 낭비는 제 입으로 자기 공을 자랑하는 짓"이라고 하셨다. 구렁이 제 몸 추켜 세우듯 스스로 공을 드러내는 경우, 힘들게 쌓아 놓은 공의 가치가 일거에 추락하는 것과 더불어 저간의 인격 또한 볼품없이 훼손되고 만다는 요지이셨다. 제 입으로 제 자랑을 늘어놓는 자는 그 공적이 결코 순수하지 않다는 지적이셨다. 숨겨 온 공적을 남들이 입을 모아 칭송을 할지라도 행여 평상심에서 우러난 겸손은 잃지 말아야 한다는 말씀도 곁들이셨다. 아무리 훌륭한 공적도 100퍼센트 완벽할 수만은 없다는 염려의 일단이셨다.

63

꽃모종을 심을 때였다. 어머니는 "아무리 하찮은 꽃이라도 꽃은 꽃이란다. 울 밑의 봉숭아 한 그루도 심을 때는 키, 꽃 색깔, 잎, 가지, 이웃과의 어울림 등을 고려하여 심어야 된단다."고 하셨다. 물론 꽃모종에 적합한 토양, 배수 문제 등을 세심히 헤아려야 하는 것은 기본이라고도 이르셨다.

64

어머니는 “아무리 고대광실도 사람이 살지 않으면 얼마 못 가서 폐가가 되고 말지만, 비록 쓰러질 듯한 오두막일지라도 사람이 살면 끄떡없다.”고 하셨다. 사람의 보금자리인 집은 곧 생명의 원천인 사람의 훈기에 의해 그 수명과 건강을 유지한다는 말씀이셨다.

65

어머니는 "누구하고나 대화는 진지하게 나누되 상대를 굳이 설득하려고 애쓰지는 마라."고 하셨다. 설득은 대개 진실의 힘이 아니라 언변의 기교를 동원하여 상대를 제 입맛에 맞게 이해시키려는 일련의 간접 억압이기 쉽다는 요지이셨다.

66

어머니는 누이들에게 “세상에서 가장 자유스럽고 평화로운 풍경은 어미젖을 먹는 새끼들 모습”이라고 말씀하시곤 했다. 새삼 모성의 가치와 긍지에 대한 주지이자 재확인이셨다. 세상에 어머니 품만큼 따뜻하고 풍요롭고 아늑한 요람은 없었다. 어머니의 가슴은 무궁무진한 천록의 산지이자 가장 안전한 요새였다. 우리는 그 품에서 벗어나면서부터 불안과 결핍과 거짓을 배우게 되는 것이었다. 젖을 떼는 것은 자립이라는 명목 하에 치르는 세상에서 가장 아프고 슬픈 별리였다. 에덴동산에서 추방당하는 형벌이었다. 그 이후의 삶이란 평생 가상의 어머니 품을 찾아 헤매는 실낙원의 방황이었다.

67

어머니는 "참지 못하는 경우, 더 많은 인내가 주어진다."
고 하셨다.

68

어머니는 내가 일을 할 때 조급히 서두르는 것을 보고는 늘 안타까워하셨다. 나는 시골에서 자라며 집안일을 시키면 부리나케 해치우는 버릇이 있었다. 얼른 일을 마치고 나서 책을 읽거나 글을 쓰고 싶어서였다. 어머니는 그때 내게 시간을 충분히 주지 못한 것이 껄끄러운 습관으로 굳은 것을 잘 알고 계셨다. 그러나 그 안타까움의 이면에는 독서나 작문보다는 일을 통해 사물의 이치를 깨치는 산공부를 놓친 어리석음을 경계하신 깊은 지혜가 담겨 있었다.

69

어머니는 “물은 여린 새싹을 싱싱하고 강인한 거목으로 키우기도 하지만 단단한 쇠붙이를 녹슬게 하여 부드럽게 자연의 품으로 되돌리기도 한다.”고 하셨다. 또 “우주에서 물을 이기는 것은 없다.”고도 하셨다. 그 말씀 속에는 만물의 근원인 모성의 가치를 소홀히 하지 마라는 메시지가 들어 있었다.

70

어머니는 "항상 일을 하고 나서 밥을 먹는 습관을 기르라."고 하셨다. 그 말씀에는 게으름을 경계하신 뜻도 있었지만 "일을 하지 않고서는 밥을 먹지 마라."는, 즉 의무를 다 하고 나서 권리를 주장하라는 준엄한 경고가 들어 있었다.

71

어머니는 어릴 적 조실부모하고 유일한 혈육인 오빠 내외와 함께 사셨다. 어머니가 출가하시기 바쁘게 오빠도 일찍 돌아가시자 친정에는 올케 혼자 고향집을 지키고 계셨다. 그런데 제사 때면 꼭 어머니 혼자서 근친을 다녀오셨다. 아무리 모셔다 드리겠다고 해도 한사코 거절하시는 것이었다. 언젠가 한 번도 가 보지 못한 외가마을을 지나면서 "어머니, 외숙모님 좀 뵙고 가시지요." 했더니 어머니는 당황하며 크게 역정을 내시는 게 아닌가. 순간, 황당했지만 천천히 생각해 보니 어머니 속마음이 헤아려졌다. 오래전, 자기 몸조차 제대로 가꾸지도 않고 그냥저냥 지내시는 올케 이야기를 지나는 말처럼 하신 기억이 새삼 떠올랐기 때문이었다. 비록 자식이지만 어머니는 당신 친정의 초라한 이면을 내보이고 싶지 않으신 것이었다. 그것은 평생을 흐트러짐 없이 지켜 오신 자식에 대한 예의이자 어미로서의 자존감이었다.

72

나는 타고난 건강 체질만으로도 부모님께 감사한다. 거기에 덤으로 남다른 기억력까지 주셨으니 얼마나 고마운가. 어머니는 유난히 기억력이 좋으셨다. 모자가 모처럼 마주 앉아 고향 이야기라도 풀어 놓는 날이면 으레 주변에서는 혀를 내두르곤 하였다. 그때면 나는 어머니의 기억력에, 어머니는 나의 기억력에 놀라기 일쑤였다. 그런데 어머니가 돌아가시기 바쁘게 어제 한 일도 제대로 기억하지 못할 만큼 나는 기억력의 심각한 퇴화를 불면과 함께 중병처럼 앓아야 했다. 산소마스크를 쓰고 죽음만을 기다리시는 어머니 곁에서 지새는 두 달 동안 오목가슴이 까맣게 탄 것에 균형이라도 맞추려는 듯 내 머리는 하얗게 바래고 만 것이다. 그 각별한 기억력의 자웅을 겨룰 당신이 곁을 지킬 수 없으니 그런 것인가. 아니면 어미의 기억은 놓아 버리고 남은 가족들이나 잘 살피라는 간곡한 주문에서였을까. 어머니는 내게 주신 기억력을 도로 챙겨 가셨다. 그러나 어머니에 대한 기억은 갈수록 눈에 밟히듯 초롱초롱 하기만 하다.

73

어머니는 아버지 주벽 때문에 평생을 고생하셨다. 그런데 나조차 스무 살 무렵 술을 퍽이나 마셔 댔다. 그것도 과음에 폭주였다. 아버지는 그런 나를 보고 "애비는 술로 이렇게 되었지만 너희는 그러지 마라."고 꾸짖으셨다. 그러나 어머니는 오히려 그런 아버지를 타이르시는 것이었다. "제 앞장은 가릴 줄 아는 아이니까 나는 걱정 안 해요. 조금만 기다립시다. 절대 실망시키진 않을 테니까요."라고. 어머니의 신뢰를 저버리기 싫어서였을까. 아버지에 이어 자식까지 걱정을 끼쳐 드려서는 안 되겠다는 다짐이었을까. 나는 군대 다녀온 후로는 별로 술을 가까이하지 않았다.

74

어머니는 사람의 겉만 보고 함부로 평가해서는 안 된다는 말씀을 자주 하셨다. 한편 옷차림이나 몸 관리를 함부로 하는 것도 함께 경계하셨다.

75

어머니는 “더럽다.”는 말과, 침을 뱉는 것을 어떤 욕설보다도 싫어하셨다. 설사 그 상대가 사람이 아닌 미물일지라도 더럽다는 표현은 못하게 하셨다. 꼭 그 말을 하고 싶으면 배 속의 똥오줌을 깨끗이 씻어낸 후에나 하라고 하셨다. 알고 보면 사람만큼 지저분한 동물도 드물다는 지적이셨다. 몸도 그렇지만 특히 속마음은 얼마나 깨끗한지 장담할 수 없지 않느냐는 힐책이셨다. 제 얼굴로 도로 떨어질 수밖에 없는 허공 말고는 지상 어디에도 침을 내뱉을 자리는 없으니 부득이한 가래침 말고는 도로 삼키라는 말씀도 덧붙이셨다. 그리고 아무리 가래침이라도 휴지에 싸서 사람의 눈에 띄지 않는 휴지통에 버리라고 당부하셨다.

76

어머니는 가까운 사이일수록 사소한 말 한마디가 비수로 꽂히는 경우가 있으니 각별히 조심하라고 이르셨다. 허물없는 사이일수록 격의 없이 서로를 주고받는 가운데도 상대에 대한 남다른 배려와 존경이 속 깊게 자리 잡고 있어야 한다는 염려이셨다. 나도 모르게 상대를 폄하하거나 무시하는 언행을 저질렀다면 그것은 둘 사이의 기본적인 신뢰에 금이 가기 시작한 신호라는 당부이셨다. 가까운 사이일수록 사소한 것이 발단이 되어 헤어지는 경우를 많이 보아 오신 노파심의 일단이셨다.

77

어머니는 우리가 어렸을 때는 엄정(嚴正)으로 가르치셨고 성인이 된 후에는 자애로 다독여 주셨다. 그러니까 어머니 구십 평생의 전반은 엄정하신 어머니셨고 후반은 자애로우신 어머니셨다. 그러나 그 빈궁 속에서도 평생을 일관하신 어머니상은 한 마디로 염결(廉潔)이셨다.

78

형은 연날리기를 무척 좋아했다. 나는 연보다는 불놀이나 스키 타기를 좋아했다. 그런데 하루는 형이 무척이나 아끼는 연을 허락도 없이 날리다가 그만 얼레의 연실을 잔뜩 헝클어뜨리고 말았다. 형은 노발대발이었고 나는 몇 대 얻어맞고는 화가 나서 바락바락 대들었다. 그러자 어머니는 형의 연과 얼레를 땅바닥에 내동댕이치시는 것이었다. 하찮은 연 따위 가지고 형제가 다투는 것을 결코 용납할 수 없다는 단호한 응징이셨다. 얼레야 또 만들면 되지만 형제의 우애는 잠시라도 허투루 해서는 안 된다는 그 엄격하고 간곡한 당부는 우리 형제의 기억 속에서 푸른 하늘을 마냥 감았다 풀었다 하는 연처럼 두고두고 맴돌았다.

79

어머니는 5남매를 두셨다. 그중 맏이로 형과 여섯 살이나 터울이 지는 누나는 출가한 지 얼마 안 돼서 죽고, 회갑이 지나기 바쁘게 아버지도 돌아가시자, 남은 네 남매, 형과 나 그리고 두 누이는 어머니라는 화롯불을 가운데 모시고 추운 겨울도 오순도순 지냈다. 어머니는 항상 우리 네 남매의 둥지이자 중심이셨다. 그리고 우리들처럼 우리 아이들도 한결같이 어머니 품을 거쳤다. 손자들 양육은 친손자건 외손자건 자연스럽게 어머니 몫이었다. 어머니는 일곱 손자를 번갈아 키우면서도 행여 힘들다거나 귀찮아하지 않으셨다. 그런 어머니의 정성과 바람대로 아이들은 말썽 없이 반듯하고 착하게 자랐다. 지금도 동기간에 각별하고, 이웃에게도 정이 많고, 학교에서나 사회에서나 모범생들이다. 전형적인 한국의 여인상인 어머니는 지상에서 가장 따뜻한 품안이자 훌륭한 교육자이셨다.

80

어머니는 단연 속담 중의 속담은 “세상만사 맘 먹기 달렸다.”라고 하셨다. 아무리 힘들어도 항상 바르고, 착하고, 따뜻한 마음을 잃지 말라는 채근이셨다.

81

어머니는 사람이 제일 못 할 짓은 "누군가가 죽은 후에 후회하는 것"이라고 하셨다. 다시 잘할 수도, 돌이킬 수도, 용서를 구할 수도 없기에 누구에게나 늘 최선을 다하라는 말씀이셨다.

82

어머니는 우울증이 참으로 몹쓸 마음의 병이지만 자신의 경박함을 다스리는 데는 도움이 될 수도 있다고 하셨다.

83

어머니는 공부를 잘해 아무리 많은 상을 받아 와도 별로 칭찬하지 않으셨다. 그러나 땔감을 해 오거나, 밖에서 살림살이를 주워 나를 때는 꼭 과분한 칭찬을 해 주시는 것이었다. 공부 잘한다는 칭찬은 선생님이나 주변에서 충분히 들은 터이니, 당신은 자칫 소홀하기 쉬운 경제성을 다독여 지와 행의 균형을 맞춰 주려는 배려이셨다. 그 덕분에 실사구시와 동떨어진 백면서생을 면하고 이만큼이라도 빚에 쪼들리지 않고 사는지 모른다고 생각하면 어머니의 깊은 뜻에 새삼 고개가 숙여진다.

84

어머니는 우리들이 반찬 가탈을 부리거나 밥투정을 할 때는 가차 없이 밥상을 물리셨다. 목숨을 부지하는 데 있어서 필수적 일등공신인 밥을 홀대하는 자세로 세상을 어떻게 살아가며, 무슨 일을 도모하겠냐는 질책이셨다.

85

어머니는 "말을 잘하려고 하기보다는 먼저 잘 들으려고 하라."고 말씀하셨다. 열심히 귀 기울여 충분히 듣고 나면 그 안에 대답이 다 들어 있다는 것이었다. 말이 많은 사람은 상대가 할 대답까지도 이미 다 말했기에 그만큼 대꾸하기가 수월하다는 것이었다. 먼저 말하려 들지 말고, 될수록 많이 듣고 난 후에 말하는 것이 효과적이라는 게 어머니의 지론이셨다.

86

어머니는 달변보다 눌변을 더 선호하고 신뢰하시는 편이었다. 입에 발린 달변보다는 적당한 눌변이 더 낫다고 하셨다. 눌변은 청산유수의 달변에 비해 나름 자신의 신뢰감을 심어 줄 수 있을 뿐 아니라, 어눌한 듯 보여 상대의 긴장을 느슨하게 풀고, 천천히 말하는 동안 자기 말을 가다듬고 틈틈이 생각할 수 있는 시간을 벌 수 있다는 속뜻이셨다.

87

초등학교 하굣길. 고갯마루에 돈이 떨어져 있기에 주워서 어머니께 드렸다. 어머니는 당장 돈을 주운 자리로 되돌아가라고 호통을 치셨다. 도로 그 자리에 갖다 놓은들 주인 말고 다른 행인의 차지가 되면 어찌 하냐고 대꾸했지만 막무가내셨다. “지금 그 돈을 잃은 사람은 고갯마루를 애타게 서성일지도 모르지 않니? 그리고 설사 주인이 그 돈을 찾지 못한다고 하더라도 일단 제자리에 갖다 놓고 나면 네 탓은 면하지 않겠니?” 하시며. 정 마음이 놓이지 않으면 해가 질 때까지라도 거기서 주인을 기다리라고, 투덜대며 달려가는 뒷전에 대고 큰소리로 말씀하셨다.

88

어머니는 “세상에 물과 기름처럼 결합할 수 없는 것은 많지만, 그 어떤 것도 함께 나누지 못할 것은 없다.”고 말씀하셨다.

89

어머니는 개를 싫어하셨다. 그러나 산중에 이사 와 개를 키우면서부터는 언제 그랬냐는 듯 끔찍이도 개를 챙기셨다. 아침이면 꼭 개밥은 주었는지 확인하고 나서야 수저를 드셨다.

90

어머니는 옷을 벗을 때는 그 역순인 입을 때를 생각하여 순서대로 단정히 놓아두라고 이르셨다. 불을 끄고도 한 치의 오차도 없이 깔끔하게 떡을 썰었던 한석봉 어머니의 마음가짐을 강조하신 듯했다.

모경母經

초판1쇄 찍은 날 | 2021년 6월 24일
초판1쇄 펴낸 날 | 2021년 6월 28일

지은이 | 김규성
펴낸이 | 송광룡
펴낸곳 | 문학들
등록 | 2005년 8월 24일 제 2005 1-2호
주소 | 61489 광주광역시 동구 천변우로 487(학동) 2층
전화 | 062-651-6968
팩스 | 062-651-9690
전자우편 | munhakdle@hanmail.net
블로그 | blog.naver.com/munhakdlesimmian
값 10,000원

ISBN 979-11-91277-13-5 03810